Petai'r byd
i gyd yn...

I bawb sy'n gweld eisiau rhywun - JC

I Sunday annwyl,
a diolch i ti, Zoë - AC

Y fersiwn Saesneg

If all the World were … gan Joseph Coelho ac Allison Colpoys
Hawlfraint y testun © Joseph Coelho 2018
Hawlfraint yr arlunwaith © Allison Colpoys

Cyhoeddwyd gyntaf gan *Lincoln Children's Books*, is-gwmni i'r Quarto Group,
The Old Brewery, 6 Blundell Street, Llundain N7 9BH

Mae hawliau Joseph Coelho ac Allison Colpoys wedi'u cydnabod fel awdur ac arlunydd y gwaith hwn.
Mae eu hawliau wedi'u datgan dan Ddeddf Hawlfreintiau, Dyluniadau a Phatentau 1988.

Y fersiwn Gymraeg

Addaswyd gan Testun Cyf.
Golygwyd gan Gyngor Llyfrau Cymru
Dyluniwyd gan Owain Hammonds

Cyhoeddwyd gyda chymorth ariannol Cyngor Llyfrau Cymru.

Cyhoeddwyd yn Gymraeg gan Atebol Cyfyngedig, Adeiladau'r Fagwyr,
Llanfihangel Genau'r Glyn, Aberystwyth, Ceredigion SY24 5AQ

Hawlfraint y cyhoeddiad Cymraeg © Atebol Cyfyngedig 2020

ISBN 978-1-913245-55-9

Petai'r byd i gyd yn...

Joseph Coelho
ac Allison Colpoys

Mae hi'n wanwyn.

Dwi'n mynd am dro yn aml gyda Taid.
Dwi'n gafael yn ei law anferth.
Mae'n dweud, "Rwyt ti'n rhy hen i ddal dwylo."

Rydyn ni'n mynd ar antur,

law yn llaw,

drwy'r gwanwyn gwyrdd.

Petai'r byd i gyd yn wanwyn,
byddwn i'n ailblannu penblwyddi Taid
fel na fyddai byth yn mynd yn hen.

Mae hi'n haf.

Mae Taid yn prynu trac rasio i fi.
Un ail-law ac mae darnau ohono ar goll.
Rydyn ni'n trwsio'r hyn allwn ni gyda'n gilydd.

Rydyn ni'n defnyddio'n dwylo
i wibio'r ceir i fyny ac i lawr,

i fyny ac i lawr,

i fyny, fyny, fyny
ac yn eu tanio nhw
i ganol y gofod dwfn.

Petai'r byd i gyd yn ofod dwfn,
byddwn i'n troi o gwmpas Taid fel y lleuad
a byddai'n chwerthin ni yn sêr gwib.

Mae hi'n hydref.

Mae Taid yn gwneud llyfr nodiadau i fi
gyda phapur arbennig o ddail brown ac oren
sy'n siffrwd wrth i mi droi'r tudalennau,
a llinyn o ledr Indiaidd coch yn eu clymu.

Mae Taid yn rhoi pensil
lliwiau'r enfys i mi.

"Ysgrifenna a thynna luniau,

ysgrifenna a thynna luniau
dy freuddwydion di i gyd."

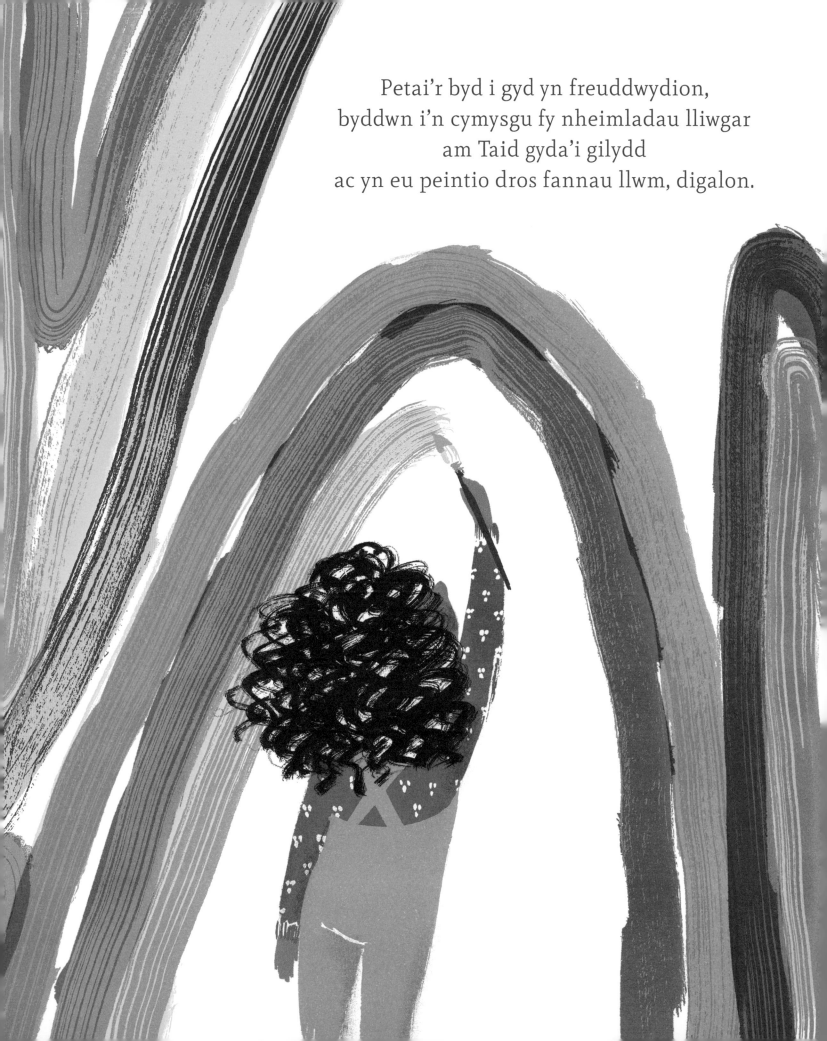

Petai'r byd i gyd yn freuddwydion,
byddwn i'n cymysgu fy nheimladau lliwgar
am Taid gyda'i gilydd
ac yn eu peintio dros fannau llwm, digalon.

Mae hi'n aeaf.

Mae Taid yn dweud straeon am ei blentyndod,
am felysion Indiaidd ac am deganau cartref.

Mae llongau,

nadroedd

a theigrod yn ei storïau.

Petai'r byd i gyd yn storïau,
gallwn wneud Taid yn well
dim ond wrth wrando, gwrando, gwrando
ar bob stori sydd ganddo.

Ond mae rhai straeon heb eiriau.

Dwi'n helpu Mam a Dad
i glirio stafell Taid.

Dwi'n dod o hyd i flodau glas
wedi'u sychu rhwng tudalennau
llyfr, car rasio bach melyn wedi'i
ludo wrth ddarn o drac, darn o
linyn o ledr coch Indiaidd, pelen
o bapur arian o'r holl felysion
iddo'u bwyta erioed, pecyn agored
o bensiliau lliwiau'r enfys.

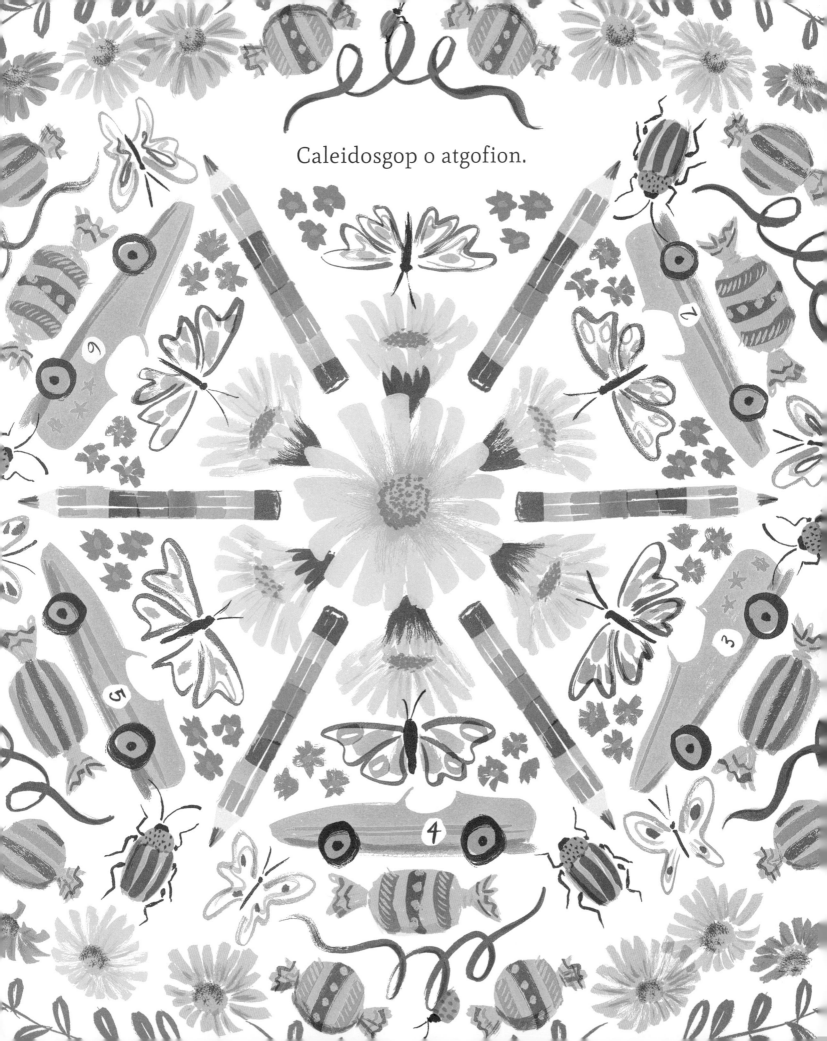

Caleidosgop o atgofion.

Petai'r byd i gyd yn atgofion,
ystafelloedd y gallwn ymweld â nhw
fyddai'r gorffennol,
a byddai Taid ym mhob stafell.

Mae llyfr nodiadau newydd sbon ar gadair Taid,
â thudalennau newydd o bapur betalau'r gwanwyn
wedi'u clymu o'r newydd gyda llinyn o ledr Indiaidd.

Mae fy enw i ar y tu blaen.
Mae'n newydd ac yn wag,
ac fe gafodd ei wneud gan fy nhaid.

Felly, dwi'n ysgrifennu
a thynnu lluniau

ac yn ysgrifennu
a thynnu lluniau

ac yn ysgrifennu ynddo
fy holl atgofion
am Taid.

Dwi'n ysgrifennu
a thynnu lluniau
pob math o fydoedd
gwahanol,

ac ym mhob un,
mae Taid,

yn gwenu
ac yn chwerthin,
chwerthin,
chwerthin.

Mae'n dweud,
"Rwyt ti'n rhy hen i ddal dwylo."

Ond dwi'n gafael yn ei law anferth.
Ac rydyn ni'n mynd ar antur,
law yn llaw.